Crédit photographique : © **Anup et Manoj Shah/Jacana/Eyedea Photos**
pour l'ensemble des photographies.

Conception graphique : Frédérique Deviller et Père Castor
Remerciements à Élisabeth Eulry et Anne-Laure Pernecker

© 2007, Flammarion
87, quai Panhard et Levassor – 75647 Paris Cedex 13
www.editions.flammarion.com
ISBN : 978-2-0816-3176-2 – Dépôt légal : octobre 2007
Imprimé en Belgique par Proost – 08-2007
Loi n°49-956 du 16 juillet 1949 sur les publications destinées à la jeunesse.

La grande histoire d'amour
des mères et de leurs petits

Les animaux de la savane

texte de Emmanuelle Fumet
photographies d'Anup et Manoj Shah

Flammarion

Puissance, majesté, nonchalance, ingéniosité...
les mots ne manquent pas pour évoquer
le plus grand félin de la savane africaine.
Le lion, pacha à la crinière imposante,
et la lionne, guerrière redoutable et tendre mère,
n'ont-ils pas été élus « rois des animaux »
parce qu'ils ne craignent aucun ennemi ?

Le lion

Les premiers instants des lionceaux

Encore incapable de la suivre,
le lionceau voyage
sans une égratignure
dans la gueule de sa mère.

Des êtres vulnérables

Pour mettre bas, la lionne cherche une tanière sûre, loin du clan. Ses nouveau-nés d'un kilo, aveugles durant une bonne semaine, sont d'abord incapables de coordonner leurs mouvements : ils ne savent que miauler, dormir et téter. La mère prend soin de les cacher quand elle part se nourrir. Leur pelage moucheté les dissimule dans les broussailles.

En léchant son petit à grands coups
de langue, la lionne le nettoie et le stimule.
Ce geste répété renforce leur lien.

Déménagement !

Au moindre danger, la lionne saisit délicatement le lionceau entre ses mâchoires, par la peau du cou, et elle le transporte dans un lieu plus sûr. Entre les pauses et les allers-retours, le déménagement de toute la portée prend du temps et fait courir des risques aux lionceaux. Mais il peut éviter à ces proies faciles d'être piétinées par des buffles, tuées par un léopard ou une hyène, ou supprimées par un lion étranger au clan.

Après quelques semaines, les lionceaux suivent leur mère hors du repaire pour être présentés au clan.

L'unique félin sans taches

Charmant avec son air pataud, ses membres courts et sa large tête à moustaches et à oreilles rondes, le lionceau grandit en quelques semaines, grâce au lait maternel très riche. Son pelage allant de l'ocre argenté au brun roux s'unifie. Son corps s'allonge et se muscle pour lui donner une détente puissante. Ses canines et ses griffes rétractiles poussent. Une mini crinière coiffe le mâle âgé d'un an.

Un mois ou deux après leur naissance, les lionceaux sont intégrés à la troupe. Désormais, ils vivent en famille élargie.

Hauteur : 1 m au garrot	
Longueur : de 1,40 m pour la lionne, jusqu'à 3,50 m pour le lion	
Poids : 120 à 180 kg pour la femelle, 150 à 250 kg pour le mâle	
Gestation : 3 mois et demi	
Portée : 1 à 6 petits par an	
Longévité : 13 ans en liberté, jusqu'à 29 ans dans un zoo	
Cri : le lion rugit et grogne ; la lionne grogne et miaule	
Signe particulier : le lion est le seul félin au pelage uni	
Protection : espèce protégée	

Une nurserie en plein air

La crèche ne rompt pas
le lien noué dès la naissance
entre la mère et son petit.

La crèche des lionnes

À la différence des autres félins, les lions chassent en groupe, et les femelles d'un clan, toutes parentes, s'entraident pour élever leur progéniture. Pour cela, elles la rassemblent dans une sorte de crèche qui forme le noyau dur du groupe familial, composée de six à huit femelles avec leurs lionceaux et de deux ou trois mâles reproducteurs. Souvent les lionnes mettent bas vers la même époque.

C'est idéal pour alterner les rôles en partant chasser pendant que les autres mères allaitent, toilettent et surveillent tous les petits... ou dorment leurs vingt heures quotidiennes. Cette solidarité renforce la protection des lionceaux, que des mâles intrus pourraient essayer de tuer pour pouvoir s'accoupler avec leurs mères.

Parfois, téter sa mère ne suffit pas à rassasier un lionceau. C'est alors très utile d'avoir une nourrice pour calmer sa faim.

Comment jouer au roi de la savane

Cajoleries, coups de pattes et coups de museaux

Comme tous les petits mammifères, les lionceaux adorent s'amuser et explorer. Sous la garde rassurante de la crèche, ils rampent, courent après des feuilles mortes, attaquent la queue des adultes, bondissent sur des insectes, se mordillent, se tendent des embuscades, jouent à la proie et au chasseur, plantent partout leurs griffes. Au fil des jours, leur adresse de futurs chasseurs s'affine. Ils essaient de capter l'attention de leur mère, qu'ils copient pour savoir à qui se fier et comment réagir.

Vers 3 mois, les lionceaux sont initiés à la chasse

D'abord spectateurs, les lionceaux découvrent que le félin chasse avec sa force, sa vue, son ouïe, ses moustaches-radar, ses dents, ses griffes et sa ruse. Vers dix mois, ils s'exercent à encercler un troupeau d'antilopes en rampant à distance, puis à rabattre les proies vers le reste du groupe à l'affût. Cet apprentissage est capital pour leur survie future.

Ses congénères du clan et la savane tout entière sont sources de découverte et d'épanouissement pour le lionceau.

*Étrange loi du « chacun pour soi »
et « les plus grands d'abord »,
quand le lion se met à table...*

La part du lion

Immobilisés à la croupe par plusieurs lionnes, le zèbre ou l'antilope sont pris à la gorge et tués rapidement. Les lions vont dévorer leur carcasse par ordre de force. Qu'ils aient chassé ou non, les mâles adultes mangent les premiers, suivis des femelles puis des lionceaux. En période de disette, certains jeunes lions meurent de malnutrition.

L'âge du départ

De génération en génération, les lionnes transmettent leur territoire à leurs filles, ainsi que le savoir nécessaire pour y vivre. Adolescente, une lionne reste donc en famille. Le jeune lion, lui, doit devenir le protecteur d'un autre clan de femelles, afin que le sang de chaque lignée se renouvelle. S'il rechigne à partir, les mâles adultes le chassent du territoire. Il vagabonde seul, jusqu'au jour où il peut évincer le mâle dominant d'une troupe.

Le soir venu, le mâle dominant du clan rugit dans la savane. Le clan est à l'arrêt.

L'éléphant

Pachyderme, seigneur des savanes
et des forêts, bête à trompe ou plus gros
animal terrestre ? Toutes ces définitions
vont à l'éléphant. Quant à sa sagesse
et à sa tendresse, les hommes savent
que ce ne sont pas des légendes.

Un nourrisson de 100 kilos

Une maman très attentionnée

Pour mettre bas, l'éléphante s'installe à l'écart du troupeau, sous la protection des autres femelles. Dès que son petit naît, elle mange le placenta pour éviter d'attirer des prédateurs. Le bébé pèse 100 kilos et mesure 95 cm de haut. Tendrement guidé par la trompe maternelle, il se met vite debout.

L'éléphanteau tape son front contre le flanc de sa mère pour qu'elle s'immobilise, mais elle le repousse doucement : il tètera plus tard.

Du lait à l'herbe

L'éléphanteau tète les mamelles de sa mère avec la bouche. Il avale environ dix litres de lait par jour. Dès trois mois, il tente d'arracher des brins d'herbe sans cesser de téter. À six mois, maître de sa trompe, il mange de plus en plus de végétaux : herbe, pousses, feuilles, fruits, plantes aquatiques, racines, écorces... Le sevrage peut prendre cinq ans. La ration adulte sera de deux cents kilos de végétaux et cent litres d'eau par jour.

Sous le grand corps rassurant de sa mère, un éléphanteau goûte une herbe entre deux tétées.

Trompe relevée, l'éléphanteau tète goulûment le lait avec sa bouche. Il grossira d'un kilo par jour.

Allaiter au soleil donne chaud ! L'éléphante rafraîchit son corps, gros comme un camion, en éventant ses oreilles.

Hauteur : 2,50 à 4 m au garrot

Longueur : 6 à 7,50 m, trompe allongée comprise

Poids : 3 à 7 tonnes

Gestation : 22 mois

Portée : 1 petit tous les 4 à 6 ans

Longévité : entre 65 et 70 ans

Cri : l'éléphant barrit ; il émet aussi des ultrasons inaudibles par l'homme

Signe particulier : l'éléphant est l'unique « bête à trompe »

Protection : espèce protégée ; l'importation d'ivoire est illégale pour 105 pays du monde

Grandes oreilles, défenses et trompe

Sous le soleil africain, l'éléphanteau naît avec des éventails géants, ses oreilles. Ses molaires se renouvellent jusqu'à soixante-cinq ans en s'usant. Ses incisives supérieures, les défenses, sont en ivoire et poussent toute sa vie. La trompe, c'est le nez et la lèvre supérieure de l'animal. D'abord courte, elle s'allonge pour devenir un outil puissant et sensible qui barrit, sent et fonctionne avec la précision d'une main. En vieillissant, le petit perdra son duvet roux, il gagnera des rides, des défenses, une solide trompe, et... plein de sagesse.

Caresses et autres histoires de trompe

Pour la mère et son petit, l'échange tactile avec la trompe est le moyen d'exprimer ses sentiments réciproques.

Comme une main

Deux jours après sa naissance, l'éléphanteau suit le troupeau en tenant la queue de sa mère avec sa petite trompe. Progressivement, il maîtrise les mouvements de ce merveilleux outil naturel, capable d'aspirer 8 litres d'eau, d'arracher un arbrisseau, de cueillir une plume entre ses deux « doigts », de servir de tuba pour nager ou d'assommer un lion.

Les éléphants communiquent avec des sons, des gestes et des mimiques, mais surtout par le toucher et les caresses de la trompe. Tous les membres de la harde entretiennent ainsi les liens forts qui les unissent.

En plus de l'allaiter, l'éléphante entoure d'amour son nourrisson. Pour se câliner, rien de mieux qu'un contact des trompes.

Une trompe, c'est idéal pour se promener « main dans la main », comme ces deux éléphanteaux amis.

Une trompe, ça sert aussi à ne pas s'égarer du troupeau quand on traverse le territoire en quête d'eau ou de nourriture.

Une enfance choyée et heureuse

Surexcité !

Insouciant, turbulent, l'éléphanteau chahute à la moindre occasion. Il bouscule ses copains, grimpe sur leur dos, se roule par terre, s'asperge d'eau, se vautre dans la boue, lutte contre un tronc d'arbre, chasse les oiseaux... C'est ainsi qu'il s'épanouit, qu'il apprend à imiter les adultes et développe des capacités physiques et sociales vitales. Sa mère le surveille patiemment.

En cas de danger, la matriarche donne l'alerte par un infrason. Aussitôt, les adultes encerclent les petits pour les protéger.

Les petits mâles jouent à la bagarre. Ils se cognent et poussent jusqu'à faire reculer l'adversaire.

L'école de la harde

L'éléphanteau grandit dans une famille élargie, dirigée par une femelle âgée qui connaît par cœur le territoire transmis par ses ancêtres. La survie de la harde dépend de sa mémoire. Elle sait vers quel point d'eau ou zone de ravitaillement marcher, suivie du groupe en file indienne. Elle décide où et quand brouter, boire, se baigner ou se reposer. Elle repère les dangers. Elle adapte le rythme de la vie nomade aux petits et, en saison sèche, la troupe se maintient à distance des autres hardes en communiquant par infrasons.

Soutenu et protégé par la troupe

Enfant gâté, l'éléphanteau reçoit l'amour de sa mère, mais aussi l'attention indulgente de toutes ses « tantes » de la harde.

Habituées à s'entraider et à prendre soin les unes des autres, les femelles adultes se relaient pour surveiller son sommeil, le ramasser s'il s'embourbe, le ramener s'il s'éloigne, jouer avec lui, accourir au moindre danger ou pleur.

Le tout-petit traverse la rivière entre deux éléphants adultes. Perdu, il succomberait à la soif, à la faim ou aux lions.

Pendant que sa mère s'alimente, l'éléphanteau teste la puissance de sa trompe. Que c'est dur un tronc !

Une famille éléphant avance en broutant paisiblement. Le plus jeune est protégé des félins par deux puissants gardes du corps.

Rester ou partir

Adolescent, l'éléphant mâle part vivre en solitaire. Il s'effacera longtemps devant ses rivaux plus âgés, en cherchant rarement à se battre, avant de pouvoir s'accoupler. La femelle reste dans sa famille. Pour son premier accouplement, vers neuf ans, ses compagnes la réconfortent. À son tour elle élèvera son petit, veillera sur ceux des autres et engrangera dans sa mémoire le précieux savoir du troupeau.

Le zèbre

Reconnaissable à ses raies bicolores, le zèbre n'a jamais été domestiqué par l'homme comme ses cousins, le cheval et l'âne. Dans le monde sauvage, cet herbivore au galop rapide est la proie des grands fauves.

24

Quand le zébreau naît

C'est à l'écart du groupe que la femelle zèbre a mis son petit au monde. Lorsqu'elle s'approche en broutant, le nouveau-né se redresse d'instinct pour la suivre.

Hauteur : 1,30 à 1,40 m au garrot

Longueur de la queue : 50 cm

Poids : 300 à 320 kg

Gestation : 1 an

Portée : 1 petit tous les 12 ou 24 mois

Longévité : 25 ans en liberté ; jusqu'à 40 ans dans un zoo

Cri : le zèbre hennit

Signe particulier : son pelage rayé de bandes noires et blanches

Protection : espèce chassée pour sa peau, protégée

Un cheval à rayures ?

Comme tous les petits herbivores, le zébreau naît prêt à suivre immédiatement sa mère. De ses sabots, faits d'une épaisse couche de corne, jusqu'à ses naseaux, ses quatre pattes, sa queue et sa crinière, il ressemble à l'âne et au cheval. La différence, ce sont ses bandes noires et blanches qui grandiront avec lui.

La mère zèbre lèche son tout-petit en signe d'affection, et pour qu'il la tète.

Les fauves ne sont pas les seuls prédateurs des zèbres. Traverser une rivière infestée de crocodiles met en danger petits et grands voyageurs.

Pendant la migration du troupeau, le petit zèbre apprend à galoper vite. Adulte, il pourra atteindre une vitesse de 60 km/h.

Danger : lions !

L'étalon dominant veille à la sécurité du groupe. Quand il flaire un fauve, il fait vibrer ses naseaux ou brait. À ce signal, tous les zèbres s'enfuient au galop, sauf le petit qui ne lâche pas sa mère. La technique de l'éparpillement est destinée à gêner les prédateurs. En effet, quand une lionne épie un groupe de zèbres, elle voit une sorte de mur rayé. À son attaque, le mur se morcelle et elle ne peut plus repérer sa proie. Les autres armes des zèbres sont leurs sabots tranchants et leurs dents coupantes.

Le clan des futurs étalons

Vers deux ou trois ans, les jeunes mâles quittent leur famille pour former un clan de célibataires. En jouant et s'entraînant ensemble durant deux ans, ils renforcent leur agilité et leurs réflexes. Puis un jour, ils partent conquérir une ou plusieurs juments en combattant les chefs de harde à violents coups de dents et de sabots.

Les zèbres ont tous des rayures différentes. Le zébreau reconnaît-il sa mère à la forme de celles-ci ? Certains scientifiques le pensent.

Lorsqu'une pouliche atteint l'âge de s'accoupler, l'étalon devient très empressé.

Grand fauve au corps harmonieux et au pelage doré tacheté de rosettes noires, le léopard est un prédateur solitaire qui vit sur un territoire délimité.
Il recourbe élégamment sa queue en marchant avec la grâce d'un chat. On l'appelle aussi « panthère ».

Le léopard

À l'abri dans le repaire

La mère léopard commence par allaiter ses petits avant de les habituer peu à peu à la viande.

La mère léopard prend soin de chacun de ses petits, qu'elle nettoie en les léchant et en mordillant leur fourrure.

Des bébés sans défense

La femelle léopard met bas dans une cachette de rochers ou de buissons. Aveugles la première semaine, les petits ont une épaisse fourrure tachetée, et ils miaulent pour réclamer la tétée. Leur mère les déplace régulièrement car des prédateurs pourraient les repérer et les tuer en son absence.

Bébés léopards deviendront grands félins

Au bout d'un mois, les petits léopards s'aventurent dans la savane avec leur mère. En explorant ce terrain de jeu propice à diverses expériences, ils améliorent leur agilité, leur puissance et leur rapidité. Leur corps s'allonge et se muscle, leurs pattes s'élargissent, leur thorax se développe et leurs mâchoires se fortifient.

Pour changer de tanière, les petits léopards sont transportés un par un dans la puissante gueule maternelle, sans douleur !

Frères et sœurs rivaux

La nature solitaire du léopard s'affirme vite chez les petits, qui restent souvent seuls dans leur cachette, même s'ils préfèrent que leur mère ne s'éloigne pas trop longtemps. Une fois sevrés, vers quatre mois, ils mangent la viande qu'elle leur rapporte en se disputant violemment. Plus agressif que sa sœur, le petit mâle cherchera à s'accaparer la proie.

Hauteur : 45 à 80 cm au garrot	
Longueur : 1 à 2,50 m	
Longueur de la queue : 50 cm à 1 m	
Poids : 40 kg pour la femelle, 90 kg pour le mâle	
Gestation : environ 3 mois et demi	
Portée : de 1 à 6 petits tous les 2 ans	
Longévité : entre 10 et 15 ans	
Cri : le petit léopard miaule, l'adulte grogne et gronde	
Signe particulier : même la panthère noire a un pelage tacheté	
Protection : espèce protégée	

Après plusieurs heures de chasse ou de repos, la mère léopard rejoint ses petits cachés parmi les rochers. Elle va se consacrer à eux longuement, en guettant l'approche de lions ou de hyènes.

Comment devenir un chasseur solitaire

Un accueil chaleureux salue le retour de la mère léopard à la tombée de la nuit.

Jeux et tendresse

En bon mammifère, la mère léopard assure le bien-être et l'éducation de ses petits. Elle les câline en les retrouvant après la chasse et joue souvent avec eux, se laissant mordiller, les invitant à courir pour la rattraper. Dehors, tout est source de jeu et de découverte pour les jeunes léopards. Ils imitent leur mère d'instinct et s'entraînent ainsi à grimper aux arbres, à nager et à sauter.

Inactive et détendue, la mère léopard devient le jouet préféré de son petit.

Face au mâle intrus qui menace son territoire ou ses petits, la mère léopard sort les crocs !

Le territoire

La femelle léopard occupe une zone de savane d'environ 25 km², souvent incluse dans le territoire d'un mâle. Elle la marque de son urine et de ses griffures et la défend contre les intrus. C'est là que cette mère célibataire élève ses jeunes et chasse pour eux : antilopes, petits mammifères, insectes, pythons, oiseaux, poissons et, parfois, babouins.

Invisible dans la pénombre, le léopard peut surprendre sa proie en sautant d'une branche d'arbre, à une hauteur de 3 à 6 mètres.

L'arbre est aussi un refuge ombragé où le léopard s'abrite du danger et se repose en toute tranquillité.

Un rusé carnassier

Vers deux mois, les petits léopards regardent leur mère chasser. Six mois plus tard, ils capturent seuls du petit gibier. Le léopard commence à patrouiller à la tombée de la nuit, quand son pelage tacheté le camoufle. Il suit des sentiers connus, attentif aux mouvements et aux bruits pour repérer sa proie. Il prend le temps d'observer et de s'approcher sans bruit avant de bondir, toutes griffes dehors. Il saisit la proie avec les pattes avant et la tue en la mordant à la gorge ou à la nuque. Ce grimpeur à la gueule puissante peut traîner une carcasse d'impala en haut d'un arbre, mettant ainsi à l'abri des charognards un garde-manger qui le nourrira durant plusieurs jours.

Pour enseigner la chasse à ses petits, la mère leur rapporte d'abord des proies à leur taille, comme ce lièvre.

L'envie d'aller ailleurs

Au fur et à mesure qu'ils grandissent et apprennent à chasser, les jeunes léopards mènent une vie plus solitaire, tout en retrouvant leur mère de temps en temps. Véritablement autonomes vers dix-huit mois, ils quittent définitivement le territoire maternel pour vivre à leur tour en solitaire.

La jeune femelle devient la voisine de sa mère, mais son frère part chercher un grand territoire ne chevauchant pas ceux d'autres mâles.

L'impala

Antilope fine et gracieuse, l'impala doit son nom aux Zoulous. Son pelage brun rouge et beige clair porte des marques noires propres à chaque individu. Proie des grands prédateurs comme le lion, le léopard, le guépard et la hyène, l'impala est une excellente coureuse.

Les premières heures du faon

Après quelques chutes,
le faon nouveau-né s'approche
de sa mère en vacillant : il est
à la recherche des mamelles.

Naissance à haut risque

Peu avant la mise bas, la femelle impala se retire du troupeau. En quelques minutes, elle donne naissance à son petit, dévore le placenta, nettoie le faon de ses odeurs et le dissimule dans des buissons. Le moment d'extrême danger est passé, mais un fauve peut survenir à tout moment. D'instinct, le bébé impala reste immobile dans sa cachette. Sa mère broute à quelques mètres, sans montrer aux éventuels prédateurs qu'elle reste aux aguets. Elle vient régulièrement l'allaiter et le laver.

En même temps qu'elle allaite
son petit, la mère impala reste à l'affût
du moindre signe de danger.

Comme d'autres espèces
d'antilopes, l'impala mâle arbore
de magnifiques cornes en spirale.

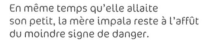

Gracieux et aérien

Outre ses marques noires, l'impala naît avec des coussinets noirs chargés de son odeur personnelle sur les pattes arrière. En grandissant, ses cuisses musclées lui donneront une chance d'échapper aux félins foudroyants. Il pourra, comme les adultes, bondir loin et haut en planant quelques instants à l'horizontale.

Alors que le troupeau se repose à l'ombre, le faon et sa mère se câlinent, renforçant leur attachement réciproque.

Collés, serrés

Pendant environ quatre mois, la femelle impala allaite et lave son faon. Le petit rejoint le troupeau lorsqu'il peut courir avec les adultes en cas d'attaque. Il reste très proche de sa mère et communique avec elle par tous ses sens. Leur lien augmente ses chances de survie face aux dangers de la savane. Si la mère fuit en levant sa queue blanche, par exemple, le petit la suit aussitôt.

Se lécher et se renifler permet au petit impala et à sa mère de mieux faire connaissance.

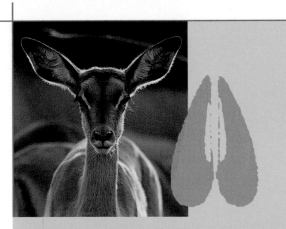

Hauteur : 80 cm à 1 m au garrot	
Longueur : 1,20 à 1,45 m	
Longueur des cornes chez les mâles : 40 cm à 1 m	
Poids : 50 kg pour la femelle, 70 kg pour le mâle	
Gestation : 6 mois	
Portée : 1 petit	
Longévité : 12 ans	
Cri : l'impala grogne et mugit	
Signe particulier : les grandes oreilles de l'impala captent le moindre bruit suspect	
Protection : espèce en voie de disparition	

Grandir dans le harem

Tout comme la mère

En suivant sa mère à la trace, le petit impala s'instruit naturellement. Il apprend à faire sa toilette, à brouter des herbes et des plantes qu'il ruminera la nuit en dormant, à se satisfaire de l'eau contenue dans les végétaux ou à se déplacer parmi le troupeau pour se protéger au maximum des prédateurs.

En faisant sa toilette à côté de sa mère,
le petit impala reproduit d'instinct
les mêmes gestes.

Les petits mâles n'ont pas
encore les cornes en spirale
de leurs aînés, mais ils jouent
à mimer une bataille à coups
de tête impatients.

La loi du harem

L'impala vit en troupeau de plusieurs dizaines de femelles et leur progéniture, qui se déplace sur un territoire sous la protection d'un mâle dominant. Cet impala joue aussi le rôle de procréateur exclusif. Il défend son harem en luttant violemment contre ses rivaux, à coups de cornes. Les petits mâles imitent les grands dans leurs jeux.

Oreilles dressées, le tandem mère-petit inspecte
prudemment l'horizon avant de poursuivre sa route.

Tous les sens en alerte

Tout en broutant avec leurs jeunes parmi d'autres « espèces proies » comme les gnous et les zèbres, les femelles impalas guettent l'approche des prédateurs. Les petits savent vite se figer en cas d'odeur ou de bruissement suspects, en attendant le signal du mâle dominant pour réagir.

Auprès de sa mère,
le jeune impala
découvre
la prudence et
la vigilance
vitales pour les
« espèces proies »
de la savane.

Techniques de défense

Un troupeau d'impalas effrayés par des prédateurs s'enfuit d'un seul coup, dans toutes les directions.
Cette dispersion, désordonnée et instinctive, désarçonne les adversaires qui ne savent plus où regarder. Les impalas peuvent faire des bonds de 10 mètres de long et de 3 mètres de haut, en atteignant une vitesse de 60 km/h, pour semer leurs poursuivants. Parfois, l'impala mâle reste en arrière et tente d'intimider son agresseur en braquant sur lui ses cornes pointues.

Sa frayeur passée, le harem
se retrouve grâce aux odeurs
et aux marques, et chacune
reprend sa place derrière
le mâle.

Le babouin

Dans les zones boisées et rocheuses de la savane, vivent des bandes de gros singes au pelage brun verdâtre et à la gueule nue et allongée comme celle d'un chien : les babouins. Chaque matin, la troupe descend des arbres pour commencer une nouvelle journée au sol.

Des débuts très protégés

Douillettement installé,
ce nouveau-né babouin accompagne
toutes les activités de sa mère.

Tout contre maman

Comme les petits d'hommes, le bébé babouin vient au monde avec les yeux ouverts, et il a le réflexe de dresser la tête vers les deux mamelles de la poitrine maternelle pour téter. Dès ses premiers instants, il s'agrippe instinctivement à l'épaisse fourrure de sa mère, qui le transporte par-tout. Son cerveau, déjà grand, se développe encore après la nais-sance. Pendant les premiers mois, le bébé babouin tète, dort et crie, animé par le seul désir de capter l'attention maternelle et de res-ter dans ce « nid » qui lui pro-digue chaleur, protection, nourri-ture, éducation et bien-être.

Un adorable museau rose

En le dotant d'une bouille rose irrésistible, la nature assure au nouveau-né babouin la protection affectueuse de sa mère et l'attention du clan. Les mains et les pieds de ce primate ont cinq doigts avec des pouces opposables. Plus grand, le babouin aura la taille d'un gros chien, un corps trapu, des mâchoires puissantes soutenant des canines acérées de 10 cm, et des fesses rembourrées de callosités.

Les femelles d'une troupe de babouins s'intéressent beaucoup aux petits de leurs compagnes.

Hauteur : 1 m	
Longueur : 50 à 80 cm	
Longueur de la queue : 45 à 75 cm	
Poids : de 15 kg pour la femelle jusqu'à 40 kg pour le mâle	
Gestation : 6 mois	
Portée : 1 petit	
Longévité : 10 à 15 ans	
Cri : le babouin jappe et crie	
Signe particulier : le babouin est un singe avec un museau de chien !	
Protection : espèce non protégée	

Au lever du jour, la mère babouin s'assoit avec son petit tendrement blotti pour prendre un bain de soleil.

En position de jockey

À cinq semaines, le bébé babouin est capable de se tenir à califourchon sur le dos de sa mère. Sécurisé par leur attachement réciproque, le petit se tourne progressivement vers le monde extérieur. Il observe, fasciné, son environnement. Il tend des mains curieuses vers ce qui l'intrigue et goûte la nourriture solide que consomme sa mère : végétaux, insectes, oiseaux ou petits mammifères.

Confortablement juché sur le dos de sa mère à la recherche d'herbes et de tubercules, le jeune babouin découvre la savane avec ses yeux, ses mains et sa bouche.

On s'épouille ?

Un rituel très important

Dès la naissance de son petit, la mère babouin fouille soigneusement son pelage pour y dénicher des parasites qu'elle pince entre ses doigts et croque ! L'épouillage renforce le lien social du clan. Plusieurs heures par jour, les babouins se « cherchent des poux » mutuellement, parfois en chaîne : le petit comprend peu à peu que ce geste d'hygiène sert à marquer le respect ou l'affection qu'on porte à l'autre, et à se réconcilier avec lui.

Deux petits babouins d'âge et de taille différents se sont éloignés un moment de leurs mères pour faire copain-copain. Dis, si on s'épouillait ?

En participant comme sa mère à l'épouillage d'un congénère, le bébé babouin s'insère dans le groupe.

Alliant l'utile à l'agréable, le petit babouin s'amuse avec un bâton et
se laisse toiletter par sa mère ; elle prendra soin de lui pendant encore deux ou trois ans.

Apprendre les règles de la troupe

Plus on joue, plus on se connaît

Plus il grandit, plus le jeune s'enhardit loin de sa mère. Quand la bande se repose, il joue avec ses copains. Tapageurs, les petits singes voltigent dans les arbres, se poursuivent, se chamaillent... Parfois, ils se bagarrent si fort qu'un grand mâle vient les gronder. En jouant, ils imitent les mimiques et les comportements sociaux des aînés : ils apprennent à communiquer.

Pour devenir un futur champion d'équilibre, rien de tel que de jouer les acrobates dans les branches.

S'amuser à tirer les « cheveux » ou la queue du copain permet de tester ses forces et ses faiblesses.

Soumis à la hiérarchie

En partageant la vie de sa mère au sein du groupe, le jeune babouin découvre la loi des relations sociales : dans le clan, il y a des babouins de rang supérieur, qui dominent, et d'autres de rang inférieur. Il se familiarise lentement avec la position sociale de chacun, apprend avec qui être ami, qui craindre, avec qui s'accoupler...

Le soutien des mâles

Chaque femelle adulte a des grands mâles amis qui veillent sur elle et son petit. Ils la protègent notamment des femelles dominantes, qui passent leur temps à harceler les mères de rang inférieur. Escorte robuste des femelles et de leur progéniture quand le groupe se déplace en quête de nourriture, les mâles s'unissent pour affronter les intrus.

Malgré son air souriant, cette mère de rang inférieur est d'humeur agressive : une femelle dominante la harcèle à cause de son petit.

Ce jeune babouin, mis en confiance par sa mère, « dialogue » avec un mâle adulte au regard bienveillant.

Peu à peu, le visage du jeune babouin devient brun.

Quand le jeune grandit

L'adolescente babouin garde un lien fort avec sa mère, qui lui transmet sa position sociale. Elle deviendra mère dans son clan de naissance, parmi ses parentes. Vers 8 ans, l'adolescent mâle quittera le clan. Les leçons de son enfance l'aideront à trouver un nouveau clan où se faire des amies avec lesquelles il pourra s'accoupler.

Aucun animal terrestre n'est plus haut que la girafe.
Des membres et un cou extraordinairement allongés,
un pas chaloupé, un pelage bariolé, une langue qui
peut saisir, et de doux yeux bordés de cils : le girafon
et son immense mère sont en harmonie avec la savane.

La girafe

Un petit déjà grand

Une mise bas périlleuse

Chuter de deux mètres, voilà ce qui attend le girafon (ou girafeau) en naissant. Car c'est debout, à l'écart du troupeau, que la femelle girafe met bas. Les pattes avant du tout-petit, plus longues que le cou, sortent en premier, puis le corps est expulsé. La mère nettoie et ranime à coups de langue son nouveau-né tout étourdi. Ce premier contact invite le girafon à se redresser pour la téter.

En mordant pour la première fois les mamelles de sa mère, le girafon stimule la sécrétion de lait.

La mère se penche pour sentir et caresser son tout-petit, âgé d'environ 1 heure : elle communique avec lui.

Le museau à 1,80 mètre du sol

Le girafon naît avec un poids d'environ 60 kilos et une taille suffisante pour atteindre les tétines maternelles, perchées à 2 mètres de haut. Son cou est plus court que celui d'un adulte, des touffes de crin recouvrent les cartilages de ses futures cornes, mais sa robe porte déjà des dessins uniques.

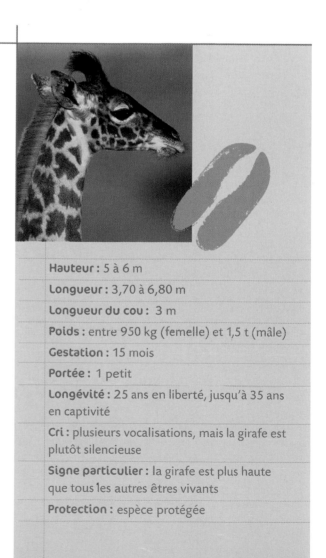

Hauteur : 5 à 6 m	
Longueur : 3,70 à 6,80 m	
Longueur du cou : 3 m	
Poids : entre 950 kg (femelle) et 1,5 t (mâle)	
Gestation : 15 mois	
Portée : 1 petit	
Longévité : 25 ans en liberté, jusqu'à 35 ans en captivité	
Cri : plusieurs vocalisations, mais la girafe est plutôt silencieuse	
Signe particulier : la girafe est plus haute que tous les autres êtres vivants	
Protection : espèce protégée	

3 cm par jour, ça monte, ça monte !

Dans l'heure de la naissance, la mère girafe encourage l'allaitement. Ce premier contact, essentiel, crée un lien qui l'attache au girafon et favorise sa survie. Le nourrisson tète les mamelles de sa mère, situées entre les pattes arrière, pendant presque un an. Il boit un lait très gras et grandit de 3 cm par jour au début ! Six mois plus tard, il a grandi d'environ un mètre. Il atteindra sa taille adulte à 7 ans.

Dans la journée, la mère vient sentir et câliner son petit installé dans un coin ombragé, à portée de regard.

Ce girafon tète encore, mais l'urine de sa mère attire un mâle. À l'odeur, il saura si cette femelle est disposée à s'accoupler.

Apprendre en observant

Les coins à feuillage

En suivant sa mère, le girafon apprend à brouter les feuilles d'acacias entre 2 et 6 mètres de hauteur : il les saisit avec ses lèvres et sa longue langue rugueuse, puis les glisse dans sa bouche et rumine. Ces expériences répétées lui apprennent à repérer les zones riches en nourriture.

Le girafon mange de l'herbe avant de se nourrir de feuilles d'arbres, de fruits, de graines et d'écorces.

C'est en observant les adultes du groupe que le jeune apprend à écarter largement ses pattes avant ou à les plier pour pouvoir brouter au sol ou boire, en restant très vigilant.

Le point faible

Pour survivre, la jeune girafe doit apprendre à protéger son équilibre et à s'exposer le moins possible au danger : courir en faisant de son cou un balancier tiré d'avant en arrière, somnoler debout, dormir couchée par siestes de trois minutes, boire avec prudence.

Les girafes broutent souvent en société.
Capables de repérer le danger de loin, elles servent
de sentinelles aux autres herbivores.

Face aux prédateurs

Pour se défendre ou protéger son petit d'un lion, la girafe compte sur sa vue, qui porte à 2 kilomètres ! Elle sait aussi courir à 50 km/h, se camoufler en zone ombragée grâce à son pelage, et briser les os d'un félin à coups de sabots. Avant leurs 3 mois, pourtant, trois girafons sur quatre seront éloignés de leur mère, déséquilibrés et tués par un groupe de fauves.

Qui veut se battre ?

Le girafon grandit au sein d'un troupeau de femelles flanquées de leurs petits, dirigé par le grand mâle vainqueur du dernier face-à-face entre étalons. Même capable de se reproduire, le jeune mâle n'a de partenaire que lorsqu'il intimide un rival ou le domine à coups de cou et de tête.

Galoper et ruer occupe beaucoup les girafons. Copiant leurs aînés, les petits mâles jouent à la lutte.

Le guépard

Le guépard a l'air de voler lorsqu'il court.
Cet élégant félin au corps svelte et aérodynamique,
à la petite tête ornée de larmiers noirs et au museau
court, est le mammifère le plus rapide. Ses pointes
de vitesse peuvent aller jusqu'à 100 km/h.
Il a la vie dure pour élever ses petits.

Dans une succession de tanières

Une portée couleur savane

Minuscules à la naissance, les bébés guépards ne marchent qu'après six semaines de vie. Grâce au lait maternel très riche, ils deviennent vite d'adorables chatons au pelage gris doublé d'une longue crinière argentée. C'est une protection naturelle qui disparaît vers deux mois et demi. D'ici-là, elle les rend presque invisibles au cœur des herbes hautes et blondes de la savane.

Au réveil, l'odeur maternelle attire le petit guépard. Il se blottit et est tout étonné lorsque la gueule de sa mère s'ouvre tout grand pour bâiller !

Après la chasse, la mère guépard revient allaiter sa progéniture qu'elle a cachée dans les fourrés.

Profilés pour courir

Les petits guépards grandissent rapidement. À 3 mois, leur robe devient or pâle tachetée de ronds noirs, pour bien se camoufler dans la savane. Leur corps d'adulte commence à prendre forme. Leurs qualités de coureur sont : une taille fine, des pattes très longues et des hanches puissantes, une colonne vertébrale flexible pour faire des foulées immenses, des griffes non rétractiles qui adhèrent au sol comme des crampons, une longue queue qui fait contrepoids et gouvernail, une vision acérée.

Les grands coups de langue de la mère, comme son ronronnement et son odeur, sécurisent ses petits.

Hauteur : 70 à 90 cm	
Longueur : 1,12 à 1,50 m	
Longueur de la queue : 60 à 85 cm	
Poids : entre 40 et 70 kg	
Gestation : environ 3 mois	
Portée : 1 à 6 petits	
Longévité : 7 ans en liberté, jusqu'à 17 ans en captivité	
Cri : le guépard miaule, ronronne, feule	
Signe particulier : le guépard est aérodynamique, comme une voiture de course ou un lévrier	
Protection : espèce protégée	

Une mère organisée

Avant d'aller chasser, la mère guépard cache soigneusement ses petits. En son absence, en effet, ils sont terriblement exposés aux lions, hyènes ou léopards en maraude. Pour les protéger, elle les déplace fréquemment d'un abri à un autre, les cachant au plus près de son terrain de chasse. Ainsi garde-t-elle un œil sur sa portée tout en capturant du gibier.

Lorsqu'elle se repose, la mère guépard devient aussitôt le super jouet de ses petits.

Postée en hauteur, la mère guépard scrute l'horizon en attendant de repérer une proie. Mais chasser entourée de petits peu discrets n'est pas facile.

À 2 mois, début de la vie nomade

Lorsqu'elle les juge assez grands, la mère guépard emmène ses petits hors de la tanière. Désormais inséparable, la famille mène une vie nomade. Durant un an, la mère guépard va assumer de lourdes responsabilités : ses petits dépendent d'elle pour s'alimenter et éviter les dangers du monde. Soucieuse, elle joue peu avec eux et elle chasse chaque jour pour leur rapporter de la viande qu'elle mastique avant de leur donner. Ils doivent parfois se contenter d'un lièvre ou d'un oiseau. Certains petits guépards meurent de malnutrition.

Rassurés par la présence de leur mère dans les parages, les petits guépards, réfugiés derrière un tronc d'arbre abattu, observent un troupeau de zèbres.

Suivie par une troupe de gnous curieux, la famille guépard s'éloigne : attaquer serait dangereux.

Expériences et éducation des petits guépards

Les escapades familiales dans la savane

Tout en traversant les plaines à la recherche de gibier, la mère guépard transmet à ses petits son expérience du terrain, les points d'eau et les abris de son territoire, la méfiance et la patience qui font de son espèce de vrais guetteurs de la savane. Débordants d'énergie et de curiosité, les jeunes félins s'amusent et explorent les environs. Escalader un arbre, s'aventurer dans un trou, mordiller une branche ou jouer à la course-poursuite ou à la chasse développe leurs réflexes et leurs capacités de vitesse et d'accélération.

Toute nouveauté intéresse le petit guépard, qui apprend ainsi à connaître parfaitement son environnement.

Un tronc d'arbre offre une occasion idéale de s'amuser à escalader... tout en développant son agilité.

En jouant à la lutte, les jeunes guépards utilisent leur queue et leurs griffes pour s'équilibrer.

À 3 mois, l'apprentissage de la chasse commence

La mère guépard montre les étapes de la chasse à ses jeunes : repérer une proie vieille, jeune ou malade. Dissimuler son approche, se poster en hauteur pour voir sans être vu. L'attaquer par surprise et la capturer d'un sprint. La déséquilibrer d'un coup de pattes et la tuer en l'étouffant.

Aider sa mère à porter une gazelle stimule le goût de ce jeune guépard pour la chasse et le prépare à sa future vie de prédateur autonome.

Travaux pratiques

À mesure qu'ils grandissent, la mère guépard met entre les pattes de ses petits de jeunes gazelles vivantes qu'ils doivent retenir. Ils exercent ainsi leur équilibre et leur détente : un jour, ils passeront de 0 à 70 km/h en deux secondes ! Ensuite, elle leur livre des proies qu'ils s'entraînent à terrasser et à tuer. Les jeunes félins découvrent qu'un sprint à 120 km/h sur une distance de 500 mètres les essouffle. Il faut savoir se reposer, même si un gros prédateur vient leur dérober leur proie.

Continuer sans la mère

Vers dix mois, les jeunes guépards tuent leurs proies. À un an, ils sont prêts à veiller sur eux-mêmes et à s'aventurer seuls dans la savane. Ils cessent de jouer et restent très proches de leur mère durant six mois. Une fois livrée à elle-même, la fratrie s'entraide, survivant de petit gibier avant de chasser parfaitement. Quelques mois plus tard, les sœurs s'en vont chercher un mâle ; les frères forment un clan nomade avant d'aller créer leurs territoires.

Quand toute la famille guépard, soudée, fixe une hyène, le prédateur impressionné passe son chemin.